INUYASHIKI, vol.1
© 2014 Hiroya OKU. All rights reserved.
First published in Japan in 2014 by Kodansha Ltd., Tokyo.
Publication rights for this french edition arranged through Kodansha Ltd., Tokyo.

Édition française

Traduction :
David Le Quéré

Adaptation graphique :
Clair Obscur

ISBN : 978-2-35592-858-1
Dépôt légal : septembre 2015
Achevé d'imprimer en Italie en juin 2021 par L.E.G.O.

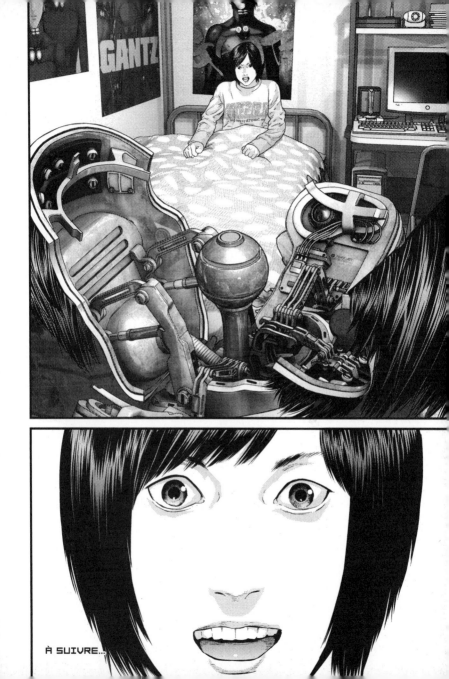

À SUIVRE...

...

EH OH !
ÇA VA ?

...

OH...
BON-
JOUR,
HIRO
!

ガチャ

CLAC

ヤ
ッ

DING
DONG
ピンポ
ン！

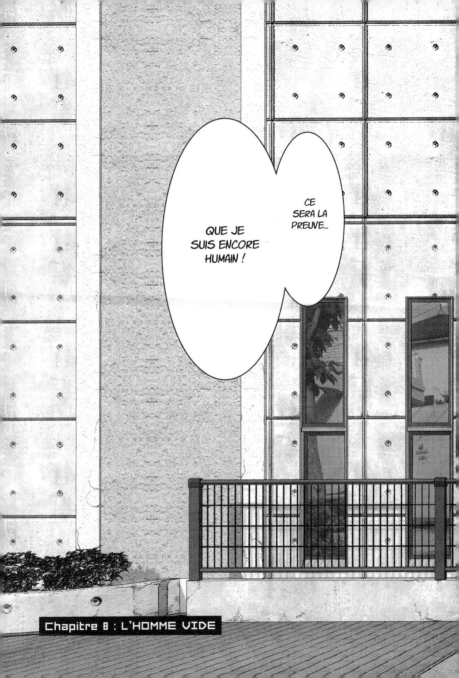

QUE JE SUIS ENCORE HUMAIN !

CE SERA LA PREUVE...

Chapitre 8 : L'HOMME VIDE

LAST HERO
INUYASHIKI

QUANT ! Des petits merdeux agressent un SDF pendant
it ! Partagez la vidéo, faites le buzz !

se aux cafards au canon Vulcan

BIP

leurs noms et leurs
sitez pas à les déno

TRASH NEWS

ILS
SONT
IMMON-
DES !

C'EST
DINGUE
...

C'EST TROP
L'ÉCLATE !
HA HA HA
HA HA !!

BANG

HA HA
HA HA
HA HA
HA HA
HA !!

BANG

BANG

BANG VIOUUU

BANG

Hiroto Yamamoto

Yasuhiro Nakamoto

AARGH
...

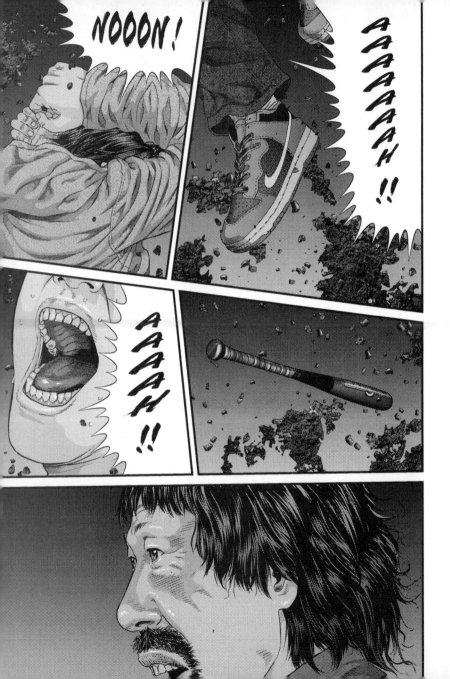

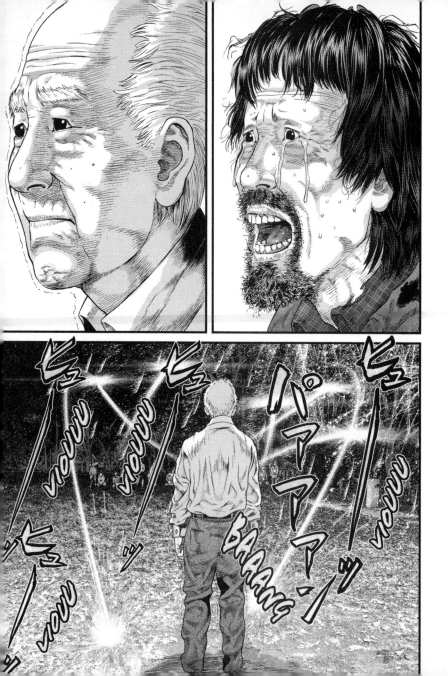

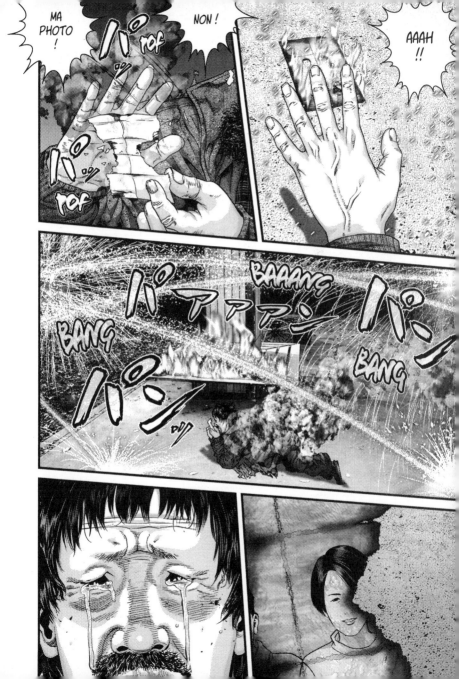

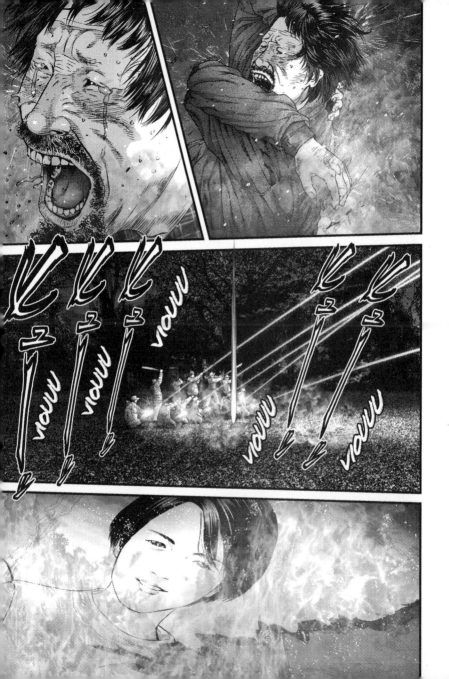

DEUX FORMES DE VIE...

ON A DÉTRUIT DEUX FORMES DE VIE INTELLIGENTES...

J'Y PENSE...

IL A DÛ SUBIR LE MÊME SORT QUE MOI !

CE JEUNE HOMME...

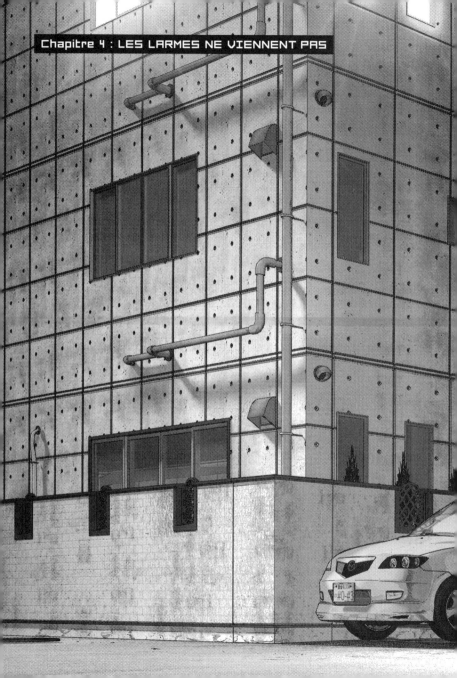

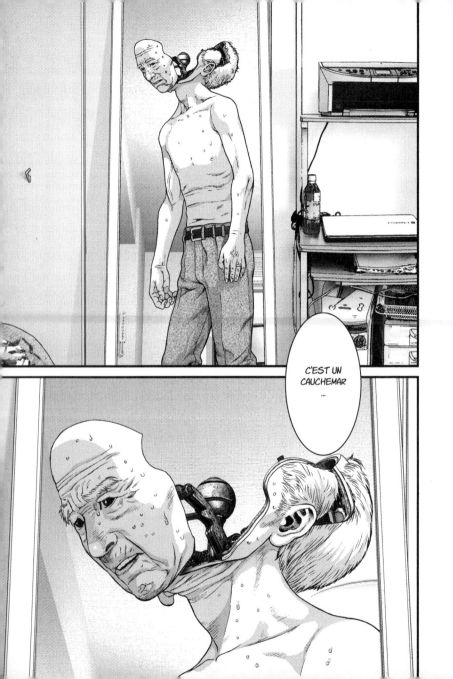

C'EST UN
CAUCHEMAR
...

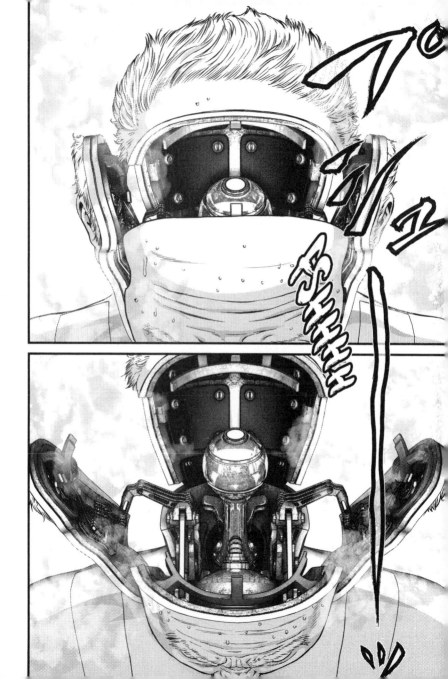

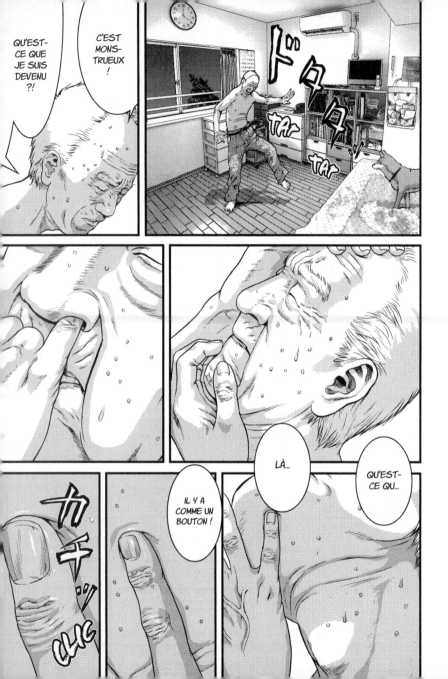

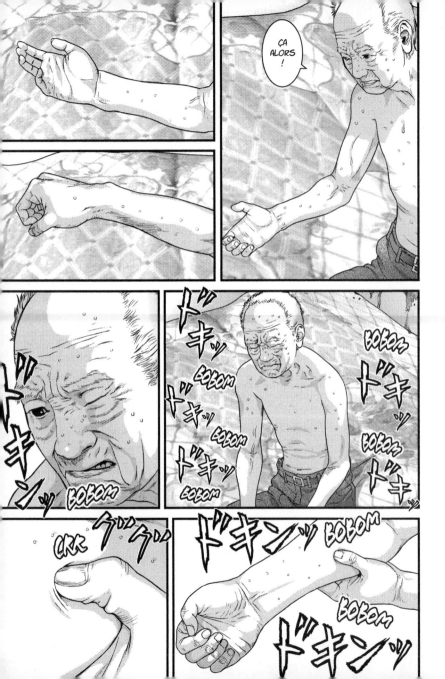

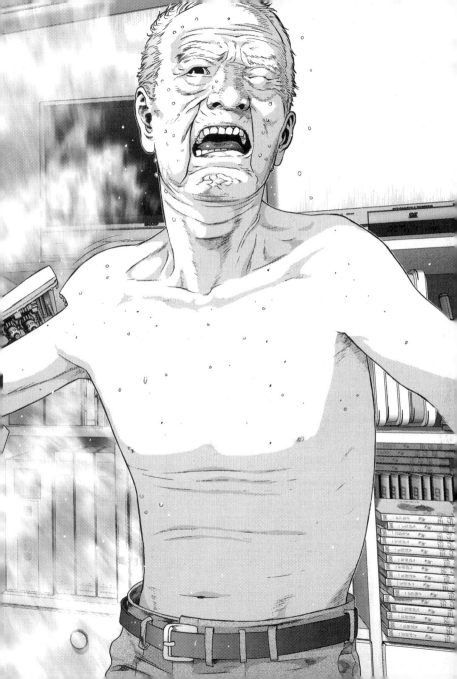

Chapitre 3 : QU'EST-CE QUI M'ARRIVE ?

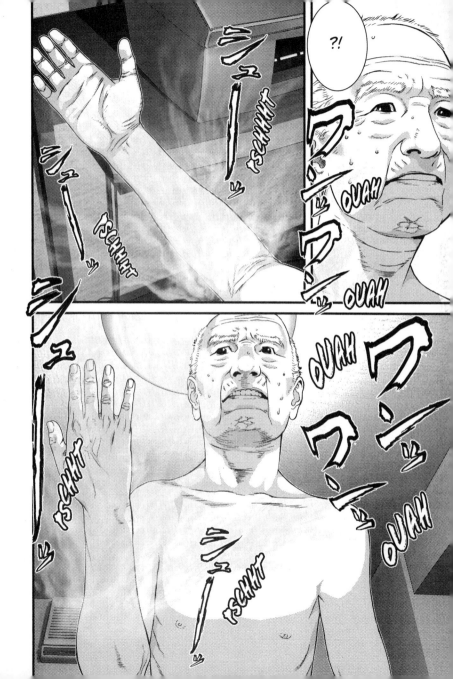

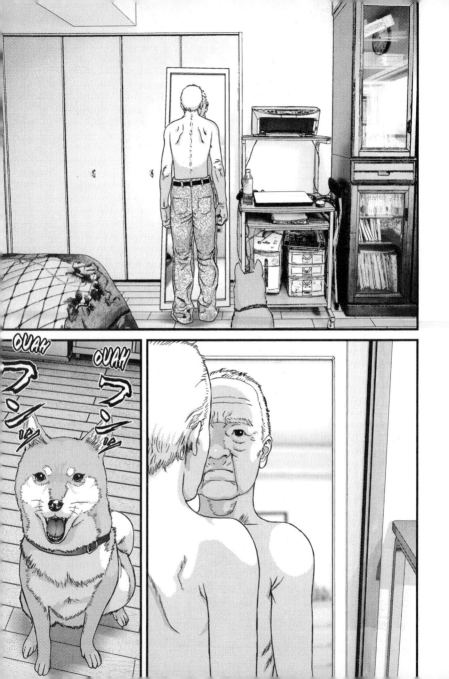

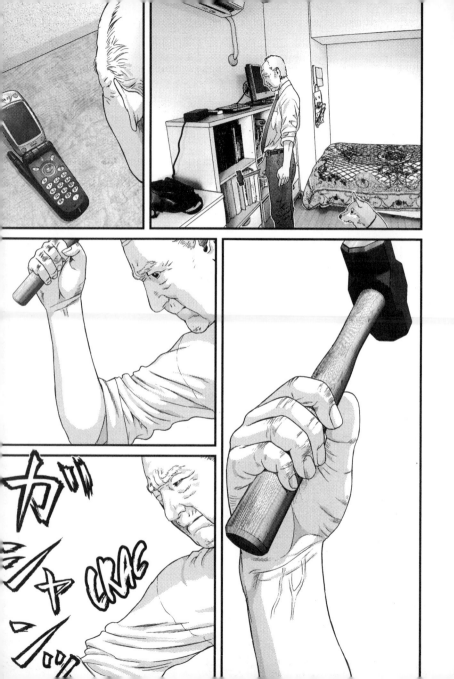

J'AVAIS RIEN SOIF, C'EST TOUT !

AH !

QU'EST-CE QUE TU FABRIQUES ?

À VOUS...

J... J'AI QUELQUE CHOSE... EUH... ÉCOUTEZ...

IL Y AVAIT UNE JOURNÉE PORTES OUVERTES DANS TON LYCÉE !

Mᵐᵉ TSUNODA M'A APPRIS QUE LE 12...

SÉRIEUX, J'AIME MIEUX PAS !

C'EST PAS LA PEINE DE VENIR...

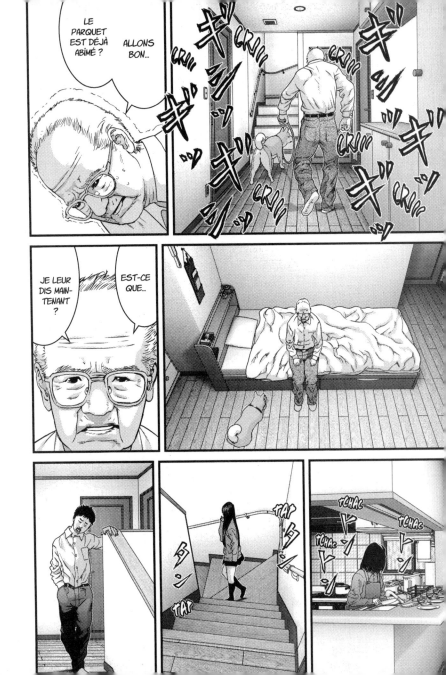

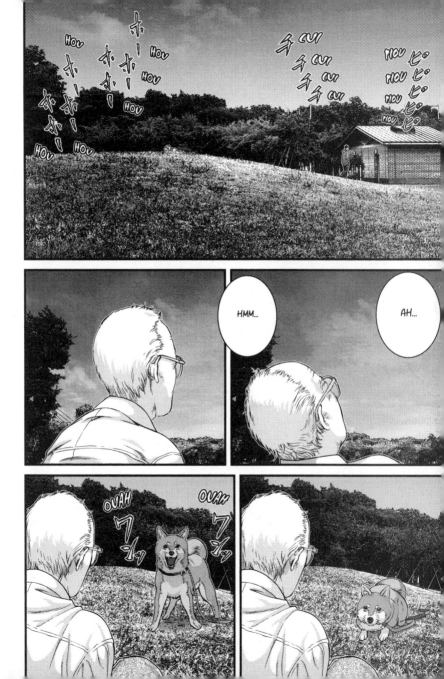

DANS CE CAS

RECONSTITUEZ

AU MOINS LEUR

APPARENCE

EXTÉRIEURE

SANS PERDRE

DE TEMPS !

PEUT-ON LES RÉGÉNÉRER ?

IMPOSSIBLE...

FAITES EN SORTE

QUE CET INCIDENT

PASSE INAPERÇU !

ATTENDEZ !

ÇA RISQUE DE

MENER CETTE

PLANÈTE À SA

DESTRUCTION

!!

IL NE NOUS RESTE PLUS QUE DES UNITÉS DE COMBAT...

ÇA M'EST ÉGAL !

JE VEUX DÉCOLLER

D'ICI LE PLUS VITE

POSSIBLE !!

DES DOMMAGES ?

AUCUN DE NOTRE CÔTÉ ! PAR CONTRE...

ON A DÉTRUIT DEUX FORMES DE VIE INTELLIGENTES...

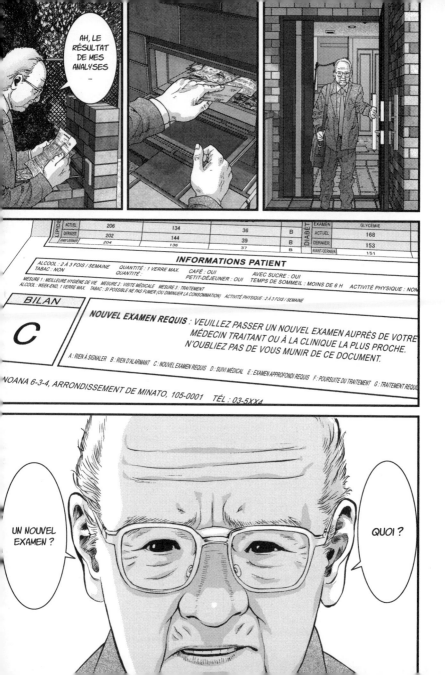

ET HOP !

AÏÏE !

ギギ

SCRITCH

À PARTIR DE 1 000 YENS* ? BON, ALORS...

UN BOL DE NOUILLES !

ALLÔ ? C'EST POUR UNE COMMANDE...

POURQUOI J'AI AUSSI MAL AUX REINS ?

*ENVIRON HUIT EUROS, NDT.

Chapitre 1 : LES ALÉAS DE LA VIE

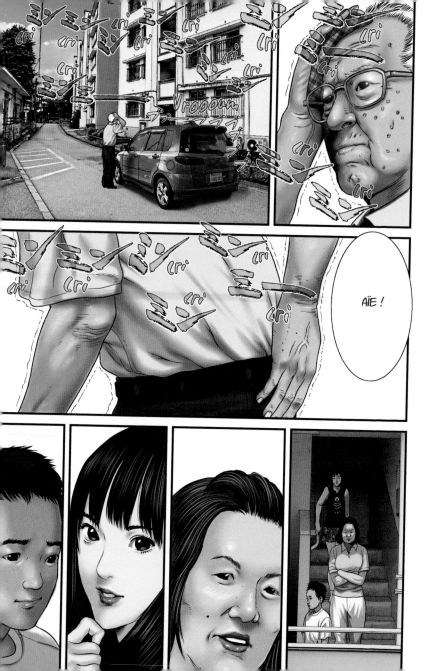

AÏE !